T0120057

Heitor VILLA-LOBOS

GUIA PRATICO

quatrième album pour piano

ESCHIG

OUVRAGE PROTÉGÉ
PHOTOCOPIE INTERDITE
Même partielle
(Loi du 11 Mars 1957)
Constituerait contrefaçon
(Code Pénal. Art. 425)

a Magdalena TAGLIAFERRO

GUIA PRATICO
QUATRIEME ALBUM

I. O POBRE e o RICO

H. VILLA-LOBOS
(Rio, 1932)

pour Piano Solo

© 1987 Éditions MAX ESCHIG
Paris, France

Tous droits réservés
pour tous pays.

OUVRAGE PROTÉGÉ
PHOTOCOPIE INTERDITE
Même partielle
(Loi du 11 Mars 1957)
Constituerait contrefaçon
(Code Pénal, Art. 425)

II. Rosa Amarela

© 1987 Éditions MAX ESCHIG
Paris, France

Tous droits réservés
pour tous pays.

OUVRAGE PROTÉGÉ
PHOTOCOPIE INTERDITE
Même partielle
(Loi du 11 Mars 1957)
Constituerait contrefaçon
(Code Pénal, Art. 425)

III. Olha o passarinho, dominé!

© 1987 Éditions MAX ESCHIG
Paris, France

*Tous droits réservés
pour tous pays.*

IV. O Gato

OUVRAGE PROTÉGÉ
PHOTOCOPIE INTERDITE
Même partielle
(Loi du 11 Mars 1957)
Constituerait contrefaçon
(Code Pénal, Art. 425)

© 1987 Éditions MAX ESCHIG
Paris, France

*Tous droits réservés
pour tous pays.*

OUVRAGE PROTÉGÉ
PHOTOCOPIE INTERDITE
Même partielle
(Loi du 11 Mars 1957)
Constituerait contrefaçon
(Code Pénal, Art. 425)

V. O'Sim

© 1987 Éditions MAX ESCHIG
Paris, France

Tous droits réservés
pour tous pays.

9

M.E. 8587

ŒUVRES DE HEITOR VILLA-LOBOS

Durée

NA BAHIA TEM pour chœur d'hommes a capella (1926). . . . . 5'

DUAS PAISAGENS (Deux Paysages) (1946) pour chant et piano. . . . . 6'
Manha na Praia (Lendemain sur la plage)
Tarde na Gloria (L'après-midi à la Gloria)

POEMA DA CRIANCA E SUA MAMA (Poème de l'enfant et de sa mère) (1923) pour voix, flûte, clarinette et violoncelle ou voix et piano . . . . 10'

POEMAS INDIGENAS (TRES) (Trois Poèmes Indiens) (1926) en recueil
Canide-Ioune-Sabath . . . . 3'
Teiru . . . . 4'
Iara . . . . 4'

POEMA DE ITABIRA pour chant et piano (1943). . 15'

POEMA DE PALAVRAS pour chant et piano (1957), poème de Dora Vasconcelos . . . . 3'

SAMBA CLASSIQUE (ODE) pour chant et piano (1950). . . . . 4'

SERESTAS n° 13 et n° 14 pour chant et piano
1. Vôo . . . . 3'
2. Serenata . . . . 5'

SETE VEZES (Sept fois) (1959) pour chant et piano. . . . . 3'

SUITE pour chant et violon (1923) . . . . 15'
En recueil
A Menina e a Cançao (La fillette et la chanson)
Quero ser Alegre (Je veux être gaie)
Sertanaje (la campagnarde du Brésil)

VIRA (sur un thème populaire portugais) pour chant et piano (1926) . . . . 3'

MUSIQUE DE CHAMBRE

DUO pour hautbois et basson (1957) . . . . . . 10'

FANTAISIE CONCERTANTE pour piano, clarinette et basson (1953) . . . . 14'

PREMIER TRIO pour piano, violon, violoncelle (1911). . . . . 25'

DEUXIEME TRIO pour piano, violon, violoncelle (1915). . . . . 20'

TROISIEME TRIO pour piano, violon, violoncelle (1918). . . . . 25'

TRIO pour violon, alto et violoncelle (1945) . . . . 20'
Parties et Partition de poche in-16

TRIO pour hautbois, clarinette et basson (1921) . 18'
Parties et Partition de poche in-16

DEUXIEME QUATUOR A CORDES (1915) . . . . . 25'
Parties et Partition de poche in-16

TROISIEME QUATUOR A CORDES (1916) . . . . 24'
Parties et Partition de poche in-16

TREIZIEME QUATUOR A CORDES (1951) . . . . . 20'
Parties et Partition de poche in-16

QUATORZIEME QUATUOR A CORDES (1953) . . 22'
Parties et Partition de poche in-16

QUINZIEME QUATUOR A CORDES (1954) . . . . 20'
Parties et Partition de poche in-16

SEIZIEME QUATUOR A CORDES (1955) . . . . . 24'
Parties et Partition de poche in-16

DIX-SEPTIEME QUATUOR A CORDES (1957). . . 22'
Parties et Partition de poche in-16

QUATUOR pour flûte, hautbois, clarinette et basson (1928). . . . . 20'
Parties et Partition de poche in-16

QUATUOR pour flûte, saxophone, harpe et celesta (avec chœur féminin) (1921). . . . . 20'
Partition de poche in-16
Parties et Partition grand format

QUINTETTE (en forme de choros) pour flûte, hautbois, cor anglais ou cor, clarinette et basson (1928) 10'
Partition de poche in-16
Parties et Partition grand format

QUINTETTE INSTRUMENTAL pour flûte, violon, alto, violoncelle et harpe (1957). . . . . 20'
Parties et Partition grand format

Durée

SEXTUOR MYSTIQUE (Sexteto mistico) pour flûte, hautbois, saxophone alto en mi b, guitare, celesta et harpe (1917). . . . . 15'
Parties et Partition de poche in-16

NONETTO pour flûte, hautbois, clarinette, saxophone, basson, harpe, celesta et batterie (avec chœur mixte) (1923) . . . . 18'
Partition de poche in-16 ; Partition et matériel en location

DEUX CHOROS BIS pour violon et violoncelle (1928) . . . . 10'

CHOROS N° 2 pour flûte et clarinette (1924) . . . 6'

CHOROS N° 3 « Picapau » pour chœur d'hommes, clarinette, saxophone, basson, trois cors et trombone ou chœur d'hommes a capella (1925). . . . . 6'
Partition de poche in-16
Parties et partition grand format

CHOROS N° 4 pour trois cors et trombone (1926) 4'
Parties et Partition de poche in-16

CHOROS N° 7 pour flûte, hautbois, clarinette, saxophone, basson, violon, violoncelle et tam-tam (invisible) (1924) . . . . 10'
Parties et Partition de poche in-16

MUSIQUE SYMPHONIQUE

ALVORADA DA FLORESTA TROPICAL (L'Aube dans la Forêt Tropicale) ouverture (1953). . . . . . 12'

AMAZONAS poème symphonique (1917) . . . . 18'
Partition de poche in-16

BACHIANAS BRASILEIRAS N° 1 pour orchestre de violoncelles (1930) (A.M.P.) (minimum 8) . . . . 16'
Partition de poche in-16

BACHIANAS BRASILEIRAS N° 5 pour voix et 8 violoncelles (1938-1945) (A.M.P.) . . . . 8'
Partition de poche in-16

BACHIANAS BRASILEIRAS N° 7 pour grand orchestre (1942) . . . . 25'
Partition de poche in-16

BACHIANAS BRASILEIRAS N° 8 pour grand orchestre (1944) . . . . 20'
Partition de poche in-16

BACHIANAS BRASILEIRAS N° 9 pour orchestre à cordes (1945) . . . . 15'
Partition de poche in-16

CANÇAO DAS AGUAS CLARAS (Chanson des eaux claires) pour chant et orchestre (1956) . . . . 10'

CHOROS N° 6 pour grand orchestre (1926). . . . 25'

CHOROS N° 8 pour orchestre et deux pianos (1925) 20'
Partition de poche in-16

CHOROS N° 9 pour orchestre (1929) . . . . . . 25'

CHOROS N° 10 pour orchestre et chœur mixte (1926) . . . . 20'
Partition de poche in-16

CHOROS N° 11 pour piano et orchestre (1928) . . 65'

CHOROS N° 12 pour orchestre (1929). . . . . . 40'

CONCERTO pour guitare et orchestre (1951) . . . 20'
Partition de poche in-16

CONCERTO pour harpe et orchestre (1953). . . . 23'

CONCERTO N° 1 pour piano et orchestre (1945) . 28'

CONCERTO N° 2 pour piano et orchestre (1948) . 22'

CONCERTO N° 3 pour piano et orchestre (1952-57) 22'

CONCERTO N° 4 pour piano et orchestre (1952) . 24'

CONCERTO N° 5 pour piano et orchestre (1954) . 20'

(GRAND) CONCERTO N° 1 pour violoncelle et orchestre (1913) . . . . 20'

CONCERTO N° 2 pour violoncelle et orchestre (1953) . . . . 20'

DANÇA DOS MOSQUITOS (Danse des Moustiques) (1922) . . . . 8'

DANÇA FRENETICA (Danse Frénétique) pour orchestre (1919) . . . . 8'

DANSES AFRICAINES (Danses des indiens métis) pour orchestre (1916) . . . . 14'
Partition de poche in-16

Durée

DESCOBRIMENTO DO BRASIL (La Découverte du Brésil) (1937)
1re Suite . . . . 15'
2e Suite . . . . 15'
3e Suite . . . . 25'
4e Suite pour chœur mixte et orchestre. . . . 25'

EROSAO (Erosion) (L'origine de l'Amazone) poème symphonique (1950) . . . . 15'
Partition de poche in-16

EU TO AMO (Je t'aime) pour chant et orchestre (1955) . . . . 4'

FANTASIA pour violoncelle et orchestre (1945) (A.M.P.) . . . . 20'

FANTASIA CONCERTANTE pour orchestre de 32 violoncelles (1958) . . . . 24'

FUGUES N° 1, 5, 8 et 21 du Clavecin bien tempéré de J.-S. Bach transcrites pour orchestre de violoncelles. . . . . 12'

GENESIS poème symphonique (1954) . . . . . 20'

INTRODUCTION AUX CHOROS pour orchestre et guitare (1929) . . . . 8'

INVOCAÇAO EM DEFESA DA PATRIA (Invocation pour la défense de la patrie) pour soli, chœur et orchestre (1943) . . . . 5'

MADONA poème symphonique (1945) . . . . . 14'

MAGNIFICAT-ALLELUIA pour soli, chœur mixte et orchestre (1958). . . . . 12'

MANDU-ÇARARA cantate profane pour chœur d'enfants, chœur mixte et orchestre (1940) . . . . 16'

MOMOPRECOCE fantaisie pour piano et orchestre (1929) . . . . 30'

NAUFRAGIO DE KLEONICOS poème symphonique (1916) . . . . 12'

NEW-YORK SKY LINE MELODY pour orchestre (1939) . . . . 6'

O PAPAGAIO DO MOLEQUE (Le cerf-volant du gamin) épisode symphonique (1932). . . . . 10'

OUVERTURE DE L'HOMME TEL... (N° 1 de la Suite Suggestive) (1932) . . . . 4'
Partition de poche in-16

POEMAS INDIGENAS (TRES) (Trois Poèmes Indiens) pour chant et orchestre (1926) . . . . 11'
Candide Ioune Sabath-Teiru-Jara

POEMA DE ITABIRA pour chant et orchestre (1943) 15'

POEMA DE PALAVRAS pour chant et orchestre (1957) . . . . 3'

PRELUDES N° 8, 14 et 22 du Clavecin bien tempéré de J.-S. Bach transcription pour orchestre de violoncelles. . . . . 10'

RUDA (Dieu de l'Amour) poème symphonique et ballet pour orchestre (1950) . . . . 40'

RUDEPOEMA pour grand orchestre (1932). . . . 30'

SAMBA CLASSIQUE (ODE) pour chant et orchestre (1950) . . . . 4'

SAUDADES DA JUVENTUDE 1re Suite (1940) (A.M.P.) . . . . 20'

SETE VEZES pour chant et orchestre (1959) . . . 2'

SYMPHONIE N° 1 « O Imprevisto » (1916) . . . . 25'

SYMPHONIE N° 8 (1950) . . . . 22'

SYMPHONIE N° 9 (1952) . . . . 20'

SYMPHONIE N° 10 Amerindia « Sumé Pater Patrium » (1952) pour ténor, baryton, basse, chœur mixte et orchestre . . . . 70'

SYMPHONIE N° 11 (1955) . . . . 22'

SYMPHONIE N° 12 (1957) . . . . 20'

SUITE N° 1 pour orchestre de chambre (1959) . . 18'

SUITE N° 2 pour orchestre de chambre (1959) . . 18'

SUITE pour orchestre à cordes (1912) . . . . . . 8'

SUITE SUGGESTIVE pour soprano, baryton et orchestre de chambre (1929). . . . . 25'

SUITE pour piano et orchestre (1913). . . . . . . 25'

UIRAPURU poème symphonique (1917) (A.M.P.) 14'
Partition de poche in-16

VIDAPURA Messe pour soli, chœur mixte et orchestre (1919) . . . . 22'